撒哈拉沙漠求生记

［韩］崔德熙 / 文　　［韩］姜境孝 / 图

骆敬敏 / 译　　张光军 / 审定

21
二十一世纪出版社
21st Century Publishing House
全国百佳出版社

推荐序

放在你面前的是四本有趣的漫画书：《无人岛探险记》、《亚马逊丛林历险记》、《撒哈拉沙漠求生记》、《极地冰河历险记》。

在这四本书里，有一个单纯无知、毛手毛脚的小男孩列奥，来到四个非常艰苦的地方去探险：荒无人烟的小岛、毒蛇出没的热带丛林、寸草不长的沙漠、冰天雪地的北极。

如果是列奥单枪匹马去探险，肯定有去无回。幸亏探险队里有知识丰富的聪明人，帮助列奥闯过一道又一道难关，走出困境。

这四本书故事生动有趣，惊险刺激，而且列奥所去的四个地方对于你来说绝对新鲜，所以这四本书你一拿起来就放不下来。

这四本书是漫画书，这漫画出自韩国画家之手，不论是无人岛的荒凉、热带丛林的茂密，还是沙漠的干燥、北极的严寒，画家都那么细致地画出来了。看着这些漫画，你如同身临其境，跟列奥一起历险。

这四本书不是普通的打打闹闹的漫画书，而是科学漫画书。到了节骨眼上，会突然"打住"，插上一段知识介绍，配上几幅彩色照片，告诉你是怎么回事，解开你心中的谜团。所以这四本书不仅向你讲述曲折的历险故事，而且使你懂得科学知识。眼下卡通书、动漫书铺天盖地，科学漫画书却并不多。正因为这样，这四本书把故事、图画、科学融合在一起，被小读者称为"我的第一本科学漫画书"。在韩国，"我的第一本科学漫画书"创造了一年销售 100 万册的畅销记录。在中国，同样受到小读者的喜爱，成为畅销的儿童图书。

这四本科学漫画书告诉你，每当列奥跌入险境，是科学给了他无穷的力量，帮助他化险为夷，转败为胜。所以，这四本科学漫画书用生动的事实说明一个真理："科学就是力量。知识改变命运。"

愿你记住这句话——这句话的重要性超过了科学漫画书本身。

2004 年 11 月 21 日，上海

（叶永烈　著名科普作家）

这是一套新颖而美丽的漫画书。精美的图画让人赏心悦目，翔实的生存常识的解说让人爱不释手。孩子们在欣赏图片的同时，又可以积累知识。尤其值得一提的是关于呼救信号、地面标志的解说，孩子认识掌握了这些标识，无疑让他们懂得了摆脱困境的自救方法，也使他们的生存能力得到了培养。

我们不必视漫画书如洪水猛兽，如果能引领孩子欣赏图文并茂的《我的第一本科学漫画书》，我想他们也可以和列奥一样：荒岛敢闯，丛林敢走，冰河敢渡，沙漠敢越。要相信孩子们的能力，要给孩子们机会。

—— 中学高级教师　刘瑾华

冒险，是让许多中国父母心惊肉跳的词汇之一。在他们的心目中，沿着冒险这道滑梯，孩子将直接落入危险的泥潭。

所以，生龙活虎的孩子被深爱他们的父母"圈养"了。

一位年轻的小学老师无奈地说，在她一年级的班上，有的孩子跌倒了只会卧在地上哭泣，却想不到自己爬起来。

一位五年级小学生苦恼地问，为什么奶奶不让她和同学一起参加学校组织的春游，老怕她生病或受伤。

……

好了，列奥来了——这韩国小子真的很棒！他有男孩子的鲁莽和顽劣，经历了荒岛、丛林、冰河、沙漠，这小子身上开始有了一点男子汉的勇敢无畏和务实精神。

现实生活中，不一定每个孩子都经历绝境。但是他们可能有渴望绝境逢生的梦想，可能有与生俱来的乐观精神和实践的勇气。

就让我们给孩子一点精神自由，让他们像列奥一样，把自己塑造成英雄吧！

哈哈，当孩子阅读这套书时，大人请自觉回避。

——《中国少年报·都市版》副主编　黄小波

哇噻！这套书的内容太好玩、太丰富了！

就拿《撒哈拉沙漠求生记》来说吧，不仅给我带来了欢乐，还让我学到了许多课本上没有的知识！

我知道了埃及是金字塔之乡，知道了世界上最大的沙漠是撒哈拉沙漠，知道了沙漠是怎样形成的，知道了骆驼是沙漠之舟……最最重要的，我学会了在沙漠中生存的常识！

我用刚从书中学到的知识考爸爸，真把他考住了！看到爸爸那副狼狈相，我幸灾乐祸，直笑他笨。

这本"超级酷"的好书，同学们一看见就会抢去的。

—— 小学四年级学生　李诗颖

老妈一向对于漫画书实行"三光政策"——发现收光，买了缴光，看了烧光。但是，道高一尺，魔高一丈，我经常屈尊在书店的幼儿专柜，尽情享受漫画的 COOL！

初次与《我的第一本科学漫画书》"约会"，便被它深深地吸引了，里面那个做事毛手毛脚，让人忍俊不禁的列奥，颇与同桌相似，有时聪慧过人，有时又傻瓜一个，有时快乐得像小猪，有时却悲伤得像豹子。宝萝这家伙肚里倒是有点墨汁，像我！

真妒忌列奥！他有个多么好的叔叔，能带他去闯世界，我们却只能陪阿爸阿妈逛超市；列奥能与野兽搏斗，我们却只能和小猫小狗游戏；列奥能亲身体验科学的奇妙，我们却只能在书本中咬文嚼字。我们的每一步都是有范围的。我们只能、只敢在小花园中散步；却不能、不敢在大森林里冒险。我们学习得很悲哀我们生活得很无奈……

我们是否该验证一下自己的能力？我们是否该秀一下自己的本领？我们是否该大步向前走？

答案很简单：LET`S GO！

—— 初中二年级学生　陈荒园

前　言

　　说到沙漠，朋友们最先想到的是什么呢？炎炎烈日和无边无际的沙原？我们总是一提起沙漠就想到漫漫黄沙。其实沙漠中不仅有沙质沙漠，还有砾质沙漠和石质沙漠。沙漠里的平均气温虽然相当高，但昼夜温差很大，冬天有时气温还会降到零度以下。此外，沙漠中年平均降水量只有100毫米，而这还往往是在一次暴雨中倾盆而下。如此恶劣的环境本来极不适于生物的生存，然而惊奇的是，然而有许多不为我们所知的动物和植物适应了沙漠环境，在那里落地生根。

　　这次的故事舞台是地球上最大的沙漠——撒哈拉大沙漠。撒哈拉沙漠的总面积达860万平方公里，是韩国和朝鲜总面积的近40倍。

　　现在，冒着疯狂的沙暴和致命的炎热，列奥的沙漠生存游戏开始了。俗话说，天无绝人之路。无论是什么样的"死亡沙漠"，只要互相信任，同心协力，凭着百折不挠的意志，最大限度地灵活运用各自所学的科学知识，就一定能够生存下去。

　　今天，沙漠正在迅速扩展，沙漠化的生态灾难威胁着全世界。由于生态环境被破坏，青翠的自然正在一步步变成干旱的荒漠。然而，只要我们时刻牢记着自然的可贵，尽自己的每一份力量保护自然，就一定能抑止这场灾难。

作者　崔德熙　姜境孝

2002 年 1 月

目 录

书中人物

列奥

性格：单纯无知，不论什么事都勇往
直前。

特长：拾骆驼粪。
假装睡着了去抱宝萝。

知识水平：经过无人岛、亚马逊的生
存经历后稍有长进。

处世类型：毛手毛脚的躁动型。

叔叔

性格：多血质的热辣性格。

特长：野营。

知识水平：具有多种旅行经验，博学多
识。缺点是辨不清方向。

处世类型：能很快适应新环境的适应型。

宝萝

性格：兼具男孩的倔强和女孩的细腻。

特长：翻跟头。惩戒耍赖皮的列奥。

知识水平：知识丰富。

处世类型：慎重的战略型。

骆驼

分类：牛目骆驼科。

特长：可以一次喝很多水，然后
坚持很长时间。脚掌触地面积
大，适于沙漠旅行。

大小：身长约3米，高1.8～2.0米。

寿命：40～50年。

特别事项：背上的驼峰中积累的不
是水，而是脂肪。

注意事项：不要在骆驼面前吐口水或
唾沫飞溅（如果你违反了
这一点，后果自负）。

第 1 章
走向撒哈拉

味溜味溜……

哇……这里就是埃及的首都开罗啊！

How are you?

嗤！现在才学习……

别忘了我们的根本目的是体验沙漠生活！

不管怎样，既然来了埃及，首先应该去看看金字塔！

咣！

嚼

哼哼，我是最酷的男子汉！

哈哈哈

咱们也买一双吧！

嗒嗒嗒

耶!!

我们开罗街头的三剑客！

呼

丂~

嘶

我无敌的特种兵！

哎呀！咱们离他远点儿吧！太丢脸了……

啪

嘻嘻嘻

现在差不多都准备齐了吧?

指南针、刀、补盐胶囊、手电筒、水壶……

快把您的贝蕾帽摘了吧！那么多油，脏死了。

还有我永远的必需品——丛林刀！

基础英语会话
BC

好，在正式开始体验之前，先在这里好好睡一觉！

那么现在就去旅馆吧，松软的床在等着我们！Let's go！

啊……！！是个小黑社会！

跟我来！！

有房间吗？

啊？你没预订房间就来了？

你忘了？这次我们是单独旅行，没有导游的！

啊！钱包不见了！

什么？那……那么护照和返程机票也都没了？

14

那些倒还在，我都放在这儿了。真是万幸。

大韩民国护照

PASS
MR

KOREA

咻，那就好了。我这儿还有一点儿备用的钱。

宝萝，以后我只相信你一个！

那笔钱不能动！还得留着回去时用呢！

那今晚怎么办？

咱们去问问能不能免费留宿……

原来是想骗吃骗住！

我经营旅馆三十年！我的词典里从没有"免费"这个词！

Get out
（出去！）

砰！

现在怎么办？

别担心！堂堂男子汉还能给这么点小事难倒了。

金字塔之乡——埃及

位于非洲东北部的埃及正式
名称为埃及阿拉伯共和国，领土
面积为 99.7739 平方公里（约为
韩国的十倍），共有 6500 多万人
居住。埃及 90% 以上的国土都
是沙漠，惟一的水源尼罗河在开
罗北面分成两条河道，形成宽阔
的三角洲平原。埃及国民 88%
是伊斯兰教徒，12% 是信奉基督
教的科普特教派。休息日是星期
五，新的一周从星期六开始。

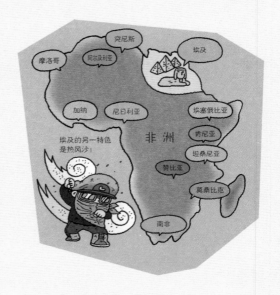

什么是伊斯兰教

7 世纪初，预言家穆罕默德通过大天使哲布拉伊勒得到了全能的神安拉的
启示。这就是与基督教和佛教并称世界三大宗教的伊斯兰教的诞生。伊斯兰教
以阿拉伯地区为中心得以广泛传播，穆罕默德所获得的安拉的启示被记录成"可
兰经"世代流传。穆斯林（伊斯兰教徒）必须阅读以阿拉伯语记录的可兰经，
并恪守被称作"五大功修"的五大义务。"五大功修"有：念作证词，坚信安拉
为惟一真神；五时拜，即一日五次面向麦加朝拜；天课，及财产课税；斋戒；
麦加朝圣。

世界最大的沙漠——撒哈拉

撒哈拉 (Sahara) 这个名字是由阿拉伯语中的 "沙漠" 一词 "Sahr" 而来的。撒哈拉西临大西洋，东至尼罗河谷，总面积达 860 万平方公里，相当于朝鲜和韩国总面积的近 40 倍。撒哈拉属于高温地带，平均气温为 27℃，但它的气温变化之大又是举世闻名的。冬季有的地区气温会降至零度以下，夏季昼夜温差也达三四十度。撒哈拉平均降水量只有 100 毫米左右，而这往往还是在一次暴雨中倾盆而下。

地球上的沙漠

如果根据气候为地球做个划分，则地球上的沙漠分布于中纬度上的亚热带高气压带地区、高纬度地带的内陆盆地，以及寒流的沿岸地带。

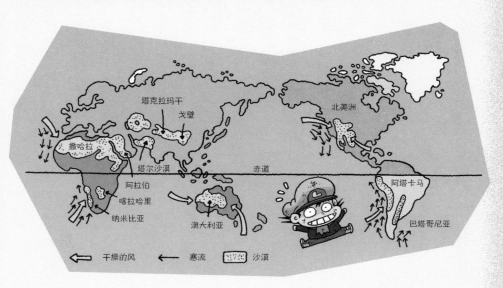

第2章
金字塔的秘密

哈哈哈 胡夫法老你好啊！

真拿他没辙！

开罗市郊外

埃及属于干燥的沙漠气候，所以很热。北回归线就从埃及南方穿过。

哎呀，叔叔，太热了！

呼哧 呼哧 呼哧

等等，车来了！

嘀嘀

用我魅力无边的男子汉姿态……

哎呀，叔叔！

嘀

啧啧啧，叔叔真是的。这次我来叫。

唝

认输……认输！！

喷喷

嘻嘻，成功了！

……？

叔叔？你在干吗？快点发挥你的英语实力啊！

嗯……

真糟糕！孩子们瞪大眼睛看着呢，怎么也不能说我不会啊！

没办法。这种时候就得……

噌

它是用平均重 2.5 吨的巨石一层层建成的，原本有 210 层，塔顶部分有 9 米被损坏了，现在只剩下 138 米。

啊，骆驼！可是怎么只有一个驼峰啊？

嘻，这里的骆驼都是这样的。两个驼峰的双峰驼生活在蒙古的戈壁沙漠里。

求你学点东西吧！

叔叔，那边有个狮身人面像！

喔，近前看起来更加壮观了。古人是怎么造的呀！

砰

叔叔，我来出个谜语吧！

好啊！

声音相同，有时四条腿、有时两条腿、有时又有三条腿，是什么东西？

什么？有这样的东西吗？

答案是人。人不就是小时候用四条腿爬，长大一点就用两条腿走，老了以后又挂着拐杖用三条腿走路吗？

据说，狮身人面怪物斯芬克斯对路过的每一个人都要提这个问题，答不出来的人就会被他吃掉。

有时四条腿
有时两条腿……

吓！

哦，好可怕啊！

咦，列奥哪儿去了？

我还以为他跟着呢……

真是！那小兔崽子一下没看着就捅娄子！

嚕 嚕 嚕

哦! 列奥!

小兔崽子, 快下来!

把他揪下来!

这小子哪个国家的?

腰上还插着刀呢! 不会是盗墓的吧?

小子, 金字塔从 1983 年起就禁止爬了。有人掉下来摔死了!

砰!

嗖

哈哈哈, 真是对……对不起。Excuse me. Sorry sorry ! !

又不见了!

哎哟，
我真要疯了！
只要让我抓住，你就等着吧！哼！！
啧啧啧……
这……怎么会这样？
大白天的……
一蹦……一蹦……
啊
嘻嘻嘻……
真……真是木乃伊！
嗤，我只不过用备用的绷带装了个样子，就吓成这样。不管怎样，总算痛痛快快地报了仇了。
你叔叔真是特种兵出身吗？
嘘……男人都把脸的丢尽了
哦……我是男子汉……

法老灵魂的居所——金字塔

吉萨的金字塔

    金字塔一词源于希腊语中的 pyramis，埃及人称之为"迈尔"。吉萨的金字塔是被称为金字塔时代的古埃及第三王朝（BC2700？）~第六王朝（BC2200？）时期建造的陵墓。古埃及人认为人死后肉体和灵魂就会分离，但他们相信如果死后尸体能完好保存并受到人们的供奉的话，就可以在另一世界获得永生。于是就建造了金字塔，用做保存尸体的墓穴。斯芬克斯是神话中人面狮身的动物，用以表现法老的权威。传说它的脸是照卡夫拉王的样子做的。

人面狮身的斯芬克斯

金字塔之谜

　　被称为世界七大奇迹之一的胡夫法老的金字塔是一座高 146.5 米，底座周边总长 230 米的大金字塔。金字塔除入口和内室外全部用石灰石建成，共用了 230 多万块平均重量为 2.5 吨的巨石。在那个没有先进搬运工具的时代，这些巨石是如何被搬上几十

嘿!!

米的高空的呢？此外，金字塔的东西南北四个方向也与地球的东西南北完全一致。金字塔至今仍然是个不解之谜，只留下了"神建造了金字塔"的传说。

金字塔的结构

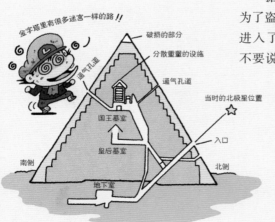

金字塔里有很多迷宫一样的路 !!

破损的部分
分散重量的设施
通气孔道
通气孔道
当时的北极星位置
国王墓室
入口
王后墓室
南侧
北侧
地下室

　　据说很久以前，埃及王阿尔马文为了盗取胡夫法老的金字塔里的宝物，进入了墓室。但是在墓室的石棺里，不要说宝物，连木乃伊也没有。对于这个惊人的事实，目前有两种推测。一种认为胡夫的真正墓穴藏在别处，另一种认为大金字塔其实并非墓穴，而是为了别的用途建造的。

第**3**章
沙漠之狐

给您钱。

咻，砍了半天价，总算半价租来一头。

列奥，在这个地方给人钱不能用左手。那是侮辱对方的行为。

哦……知道了。

Thank you!

咦？这些行李是什么？

帐篷和毯子、羊皮、水袋。和骆驼一起租来的。

哈哈哈，我能干吧？

哼！只把宝萝抱上去……

都骑上去吧！

水袋和背包搭在骆驼两侧……

呀！别抱这么紧！

嘿，太好了

好了，出发！

啪

啪

对了！都戴上墨镜。

我是沙漠之狐隆美尔……不，列奥将军！

31

看来又到了礼拜的时间了。

列奥，坐下！

噜

安拉呵 阿哈巴拉!!

安拉好伟大！！

嘻嘻，好像真成了将军一样！

安拉……安拉……

腾 腾

腾

……

嗯？

滚！

你这坏家伙是干什么的？

砰 砰 砰

小子，礼拜的时候从他们前面过去是冒渎他们的行为。

安拉……

咻……真是少活十年，这真是个奇怪的国家。

走着瞧吧，叔叔！

抓住他！ 抓住他！

这种时候三十六计走为上计！

叔叔，等我啊！

嚓嚓嚓

咦，沙漠里怎么会有石头啊？

撒哈拉由石质沙漠*、砾质沙漠*和沙质沙漠*三种沙漠组成，地上有碎石，说明离石质沙漠不远了。

啊，叔叔！那边有座石山。

好，今天的目的地就是那里，听说过了那座山有一大片绿洲。

我们这次沙漠体验的目标就是，用三天两夜的时间，到那片绿洲作个往返旅行。

34　*石质沙漠：岩层裸露的山岳地带。　*砾质沙漠：低缓的沙丘地带。
　　*沙质沙漠：细沙覆盖的比较平坦的地带。

在这儿验证一下方向吧?

我们现在正按原计划进入死人领地。

哎哟,叔叔,什么死人领地啊。听得好不舒服。

驮了三个人,骆驼好像累坏了。咱们比预计的快了一点儿,不过今天得在这儿宿营了。

古埃及人认为尼罗河东面是活人的领地,西面是死人的领地。也就是说西面是荒凉的沙漠地带。

N
W ← → S

哼味哼味

呀,小子!在沙漠里水就是生命。省着点喝!

砰

35

嘿，看这家伙的脚。

哈哈哈

又扁又平，还有很多毛，对不对？那是因为加大了面积，以免陷到沙子里。

还是我懂得多啊！

长的样子也很奇怪。

你长得也不怎么样啊！

啊呸呸呸……

不可以！

不可以！

唉，没来得及告诉你，在骆驼面前吐口水或唾沫飞溅都是很危险的。

好，帐篷终于搭好了！

太棒了，叔叔。

列奥这小子也不来帮忙，又干吗去了？

嘟嘟

嗨嗨

在前面不敢惹它，在后面总该没事了吧。刚才踢得我好疼。

骆驼，你死定了！

啊呸呸呸，叫你生气！

噜

噗 噗

噗

吃点儿这个吧！

噗

啊！

骆驼粪！！

哎呀，臭死了！快把他扔得远远的！

沙漠是怎样形成的

　　大部分沙漠都是由风化（岩石由于自然的作用而分解）、风蚀（岩石被风卷起的土或沙破坏）或河流的作用而形成的。由于气温的剧烈变化，岩石反复膨胀、收缩而断裂成碎片，风又继续侵蚀这些碎片，下暴雨时，大量含有盐分的水往往在很短的时间内迅速移动，又迅速蒸发消失，这些雨水中的盐分渗入地下，使得寸草不生。这些过程长期反复，就把逐渐趋于平坦的地带一步步变为沙漠。

幼年期
由于河水流动而形成深谷。

壮年期
由于河水的侵蚀，大地逐渐变为高山。

老年期
高地或山逐渐被削平，坍塌下来的土又填平了河谷。

跟人没什么两样嘛。

沙漠的类型

石质沙漠

巨大的岩石由于龟裂而碎裂为较小的石块，便形成石质沙漠。

砾质沙漠

较大的石块由于日照和风化作用碎裂为小石子，形成砾质沙漠

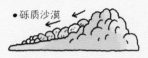

沙质沙漠

砾质沙漠由于风化作用化为细沙而成。

岩石变沙的过程

A．岩石裂缝的地方进入水，水结冰将岩石胀裂。

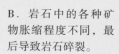

B．岩石中的各种矿物胀缩程度不同，最后导致岩石碎裂。

第 **4** 章
撒哈拉的沙暴

哎哟，盖着毯子都冷！

撒哈拉沙漠白天能到 54℃，可晚上气温会降到零度以下，得多加小心。

哎哟……宝萝，我好冷

哎哟，真不像话。

伸臂一抱

那次是意外事故。这回旅行咱们准备得很充分，不用担心。

嘿

叔叔，我隐隐有点担心。该不会出现亚马逊那种情况吧？

这个到有用心的小子

宝爹的巴掌印→

嗯……对。啊，好困。

你到那边去睡！！

这几个家伙好奇怪。

嗷

我是沙漠刺猬

咯吱·咯吱吱

呼噜 呼噜……

扑棱棱

听，这是什么声音？

哈！睡得好舒服。

鸣

啊……是沙暴！

快收拾背包和毯子、水袋！

看来一时半会儿不会停，先去石山那边躲一躲吧！

鸣嗡

这算什么？山在哪儿？！

这，方向搞错了。

怎么办？指南针放在丢了的背包里……

啊……怎么能这样！难道又遇险了？

叔叔，我有个好办法。在撒哈拉能看到北极星，咱们等到晚上再走吧！

那可不行！在这儿待上一天，会晒成肉干儿的。都上来！凭我的动物一样的感觉，一定是那边。

哎哟！

我的八字怎这么背啊！

又来了，去你的动物一样的感觉！骆驼才是动物呢！

是啊，还不如相信我的感觉呢！

刚才走了两个小时，走不了多远就会到达石山的。

没法活了！真是！！

宝萝，我们可怎么办？呜呜……

喷！

呼噜噜

别丧门星似的哭！水和储备食物都还在，有什么好担心的？

啊

碎!!

我就知道你会挨揍！

咦，那是什么？

是……是宝贝！

哎哟……在亚马逊时也是成天念叨宝贝……

嚓

哈哈哈!!

看这个。分明是宝石嘛。

我现在是最富有的人了！

那不是宝贝，是被称为沙漠玫瑰的重晶石*。露水溶化了沙子里面的石膏，就形成了沙子颜色的花。这跟石灰岩洞是同一原理。

嘁，这小子从小就见钱眼开。

哼，就算是这样，我拿回韩国去也能卖个好价钱！

啊……忽然有点头晕。

*重晶石：由硫酸钡构成的矿物，有光泽。

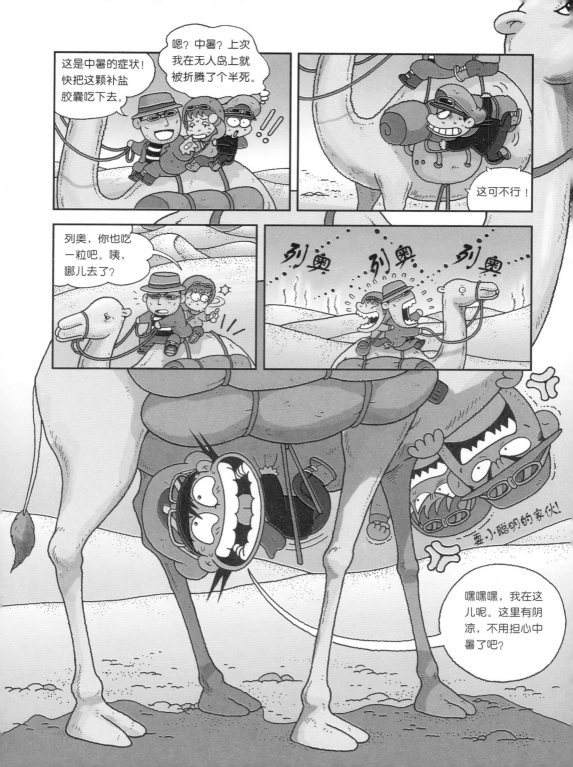

沙漠的气候特征

　　沙漠气候可以归纳为以下三点。第一，年降水量不足 250 毫米。第二，昼夜温差大。白天由于日照强烈，气温可升至 50 ~ 60℃，晚上则急剧下降，甚至可达冰点。最后，降水的偏倚度很大。所谓偏倚度，就是说不下雨时会接连几个月滴雨不下，一旦要下便是倾盆大雨。

沙漠玫瑰——重晶石

　　又叫沙漠玫瑰。这种奇特的花朵造型主要在沙丘表层下可以找到，是由于露水溶化了沙中的石膏而形成的。这种石膏晶体和沙混合在一起，就造成了具有沙子颜色的圆盘样的花朵。

沙漠玫瑰——重晶

沙漠之舟——骆驼

骆驼是沙漠中最完美的生命体，从头到脚都非常适应沙漠气候。背上的驼峰是储存脂肪的仓库，非洲骆驼有一个驼峰（单峰驼），亚洲骆驼有两个驼峰（双峰驼）。双峰驼有褐色长毛，单峰驼比双峰驼腿长毛短。骆驼平时很温驯，但不满时会喷唾沫或用脚乱踢，非常危险。另外，骆驼可以接连几天不喝水，但事后要喝 100 升左右的水才能恢复原状。

单峰驼

双峰驼

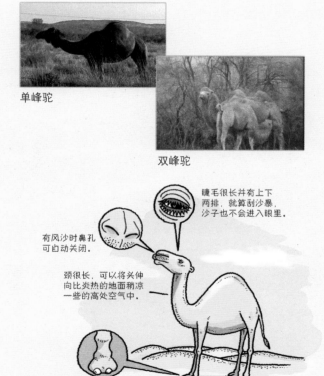

睫毛很长并有上下
两排，就算刮沙暴，
沙子也不会进入眼里。

有风沙时鼻孔
可自动关闭。

颈很长，可以将头伸
向比炎热的地面稍凉
一些的高处空气中。

骆驼的蹄掌分为两个。

第5章
沙漠地狱

我要把你们都吃掉！

迷失方向后已经在沙漠里彷徨了两天了。

难道要下雨了？天阴阴的，找北极星也没希望了。

沙漠里也能下雨吗？

沙漠里也有下倾盆大雨的时候，只是很少就是了。

叔叔真是个傻瓜！

呼

咯咯咯

叔叔，好冷啊，不如先在附近宿营，明天再接着找吧！

刚好。沙漠里这么高的地方并不多，咱们爬上去看看，说不定能发现什么。

昨天的狂风堆起了这么高的一座沙丘。

不慌不忙

去哪儿……??

好了，准备动身吧！

太棒了！

呵呵，可是并不是上次看到的石山啊。

在那边待着总比这儿方便，快走吧！

呼呼，刚才看着挺近的，怎么这么远！

呼……皮肤像要着火了。真是地狱一样的地方。不过我是勇猛的战士，就忍着好了！

哈哈哈，都加把劲儿。马上就到了！

唉，孩子们体力不支，真让人担心。水和食物也快没了……

咻……，总算到了。哎呀，好头晕!

列奥!

唉，都怪叔叔。

叔叔这个方向啊!

好吧，我承认是我弄错方向了。

哎呀，叔叔!这里还有植物呢!

那是刺槐。植物能生长，说明我们也可以活下去。

哎哟，累死了!

先把行李放在这儿，到周围看看。

哎哟，好像还挺深的……

天快要黑了，最好先生个火。嗯？

水和食物都差不多吃光了。

一摸口袋。

啊……打火机丢了！

什么？在无人岛、亚马逊也都是这样，这也太巧了吧？

有什么办法，讲的就是生存嘛……

还不是作家想怎样构思就怎样构思！

都怪画漫画的美画家→

都怪写故事的催作家

太过分了！我求你了！

喂！打火机走开！

喂！打火机！

没办法。今晚就在骆驼旁边挤着睡吧。

那明天呢？

烦死了！明天想办法生个火不就行了！

列奥，看那个！

碎

神秘的沙丘

在沙质沙漠中，大大小小的沙粒永不停息地随着大风四处飞扬。因此，如果有沙子堆积在岩石或植物周围，那里就开始渐渐形成巨大的沙丘。并且，这种沙丘还可以像活的一样，随着大风缓缓移动。

风

哈！风 在变魔术呢！！

另外，风还会在沙地或沙丘上刮出美丽的纹路。风纹的出现是由于轻小的沙粒被风吹走形成谷，重而大的沙粒则留在原地，形成脊，从而形成连续的沟壑形状。

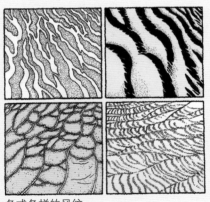

叔叔的皱纹也是风纹吧！

被你累老的！！

哎

各式各样的风纹

沙漠中的壁画

撒哈拉的自然美术馆——岩石壁画

1956 年，在撒哈拉沙漠中心地带的塔西里，发现了 15000 多处壁画。壁画被推测为 8 千年前至 3 千年前之间的作品，其中有农耕的景象和长颈鹿、鸵鸟、兔子等动物，引起了极大的反响。

壁画反映的撒哈拉的旧时面貌

这些壁画说明，地球上最大的沙漠撒哈拉以前曾是碧绿的草原，再以前则是大海。在岩石中发现的珊瑚草、蜗牛壳和软体动物的化石可以证明撒哈拉曾是大海的事实。

壁画暗示的古代外来文明之谜

很有趣吧？还有哩！据说在撒哈拉沙漠发现的壁画中，还有一些看来像 UFO 和外星人的壁画。可惜的是，究竟古代人是真的见到过外星人，还是只是凭想像所画，这一点到目前为止还不能确定。

古时候撒哈拉沙漠会是大海？？难以置信！

第 **6** 章
"魔鬼 3" 公式

嘿嘿，很香吧!?

打火机没有，相机也没有，想再拆相机镜头来用都办不到……

想生火，只好再当一回原始人了。

拉紧

抓着十字架柄。

在槽里来回摩擦，这就是火犁。

哧哧哧……

啊……
这是什么！

哟，火还很旺呢！

嘿嘿，您两位没去过无人岛，都不知道吧？

对了！我也听说过，干骆驼粪就像没有水分的硬煤块一样。

啊哈！

嗯，虽然用骆驼粪烤面包有点那个……

小子，别吃了。没剩多少了！

不能吃面包，那就喝点水填填肚子吧。

不理睬！

咕嘟咕嘟

你这浑小子连"魔鬼3"公式都不知道吗？

噗！

嘻嘻，"魔鬼3"公式？

嘿！

所以沙漠生存秘笈，第一条就是多准备水。第二条是，如果没有水，东西也不能吃！

因为没水的话食物就没法消化！

就是说3分钟没空气，3小时没有热量，3天没水，3周没食物，都会致命！

噫……都讨厌我……

太伤心了！

再就是，在沙漠里除了缺水之外，死亡率排第二位的致命因素就是低温。所以，快去找柴来！

砰！！！

噢！！

啧啧……这家伙还不如骆驼命好呢！！

啊，可怜的列奥！难道生来就是拾骆驼粪的命……

宝萝，咱们想想怎么发呼救信号吧！

叔叔，遇险时先决定是留下还是走开，不是比发信号更要紧吗？

留也好走也好，得先让人知道咱们遇险了。

用力一插

还有，如果暂时没有生命危险，还是先留下来比较好。

咻，一缺水，连大便都硬梆梆的。

梆梆

且慢！

不用再累死累活去跑了！

······

嘻

取火法大全

火犁取火

　　用木棍或木犁在木板上挖好的槽里来回摩擦来取火，可以在最快的时间里生起火来。

钻木取火

　　制作起来很费时间，并且需要很多材料。取火时要注意姿势。

透镜取火

　　使阳光通过透镜，对准胶片或塑料等物加热，可以很轻易地获取火种。

用手钻木取火

　　最容易制作。伸直手指，双手搓动木钻。需要把握好节奏和时间的配合。

水和便秘

便秘指大便干燥或排便时间间隔过长的状态。食物不足时，如果水和蔬菜也严重缺乏，便秘就可能成为致命因素。因此，在饮水不足时，如果进食过多，食物将既不能消化，也不能排出，甚至导致生命危险。

这是石头还是大便？

我都一周没有大便了！

硬梆梆

什么是"魔鬼 3"公式 (Survival rules of Three)

如果突然出现意料之外的紧急情况，你会怎么办呢？是会团团转一阵就放弃呢，还是坐下来哭呢？无论是无人岛、亚马逊，还有沙漠。就像我们的列奥一样，即使身陷地球上最荒无人烟的地方，也总还存在希望。这就是"魔鬼 3"公式。这是救援队和生存俱乐部中当口号一样高喊的公式。只要你知道了生存所需的基本条件，你就是生存专家了。

1. 没有空气，只能活 3 分钟。
2. 没有热量，只能活 3 小时。
3. 没有水，只能活 3 天。
4. 没有食物，只能活 3 周。

第**7**章
找水记

水…
水…

水袋都见底了。

汩汩啦啦……

每人分一口吧！
宝萝先喝！

做女孩真幸福

咕嘟

谢谢你！

啊

你连长幼有序都不懂吗？该我了！

噌！

不知道路上会有什么事，也不知道要走多久，必须准备好足够的水才能动身。

小子，你以为水那么好找吗？

哼

嘁，那么去找不就行了。

少废话，从现在开始全力投入储水战斗！

列奥好可怜！

哼……那就连一滴露水也收着嘛。

什么，露水？对了！就是这个！

嗯？沙漠里当真会有什么露水吗？

首先把塑料袋套在刺槐上，扎紧袋口。

都跟我来！

啊哈！这叫做蒸发袋聚水法。利用的是植物的蒸腾作用*吧？

喂！你就什么都不懂吗？

哼，等着瞧吧！

宝萝，咱们在别的树上也多做些这种装置吧。

这样过一晚就会聚起露水。再多做几个。

哈哈哈！

←塑料袋

石头

坑

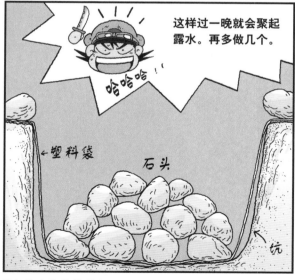

*蒸腾作用：植物体内的水分变成水蒸气排出体外的现象。

73

嗨

哇，树根好长啊。

这是沙柳树。使劲挤树根，就可以挤出汁来。

味溜味溜...

哦，浑小子干得不错嘛！做了不少露水井。

不过早晨稍晚一点儿露水就会蒸发掉，得早点收才行。

哈哈哈，懒虫要早起了！

要想早晨早起，就得先睡足。

呼呼呼

哦，天都亮了。宝萝，快点儿！

列奥呢？

他睡得那么早，恐怕已经起床出去了吧！

哦，那不是电话卡吗？

2000 元
公用电话卡

2000元
公用电话卡

是啊，用这个刮石头上的露水最适合了。

味味味

哎呀……
好甜！吧嗒吧嗒
哼味哼味……
噢！

这……这个兔崽子！把石头都舔了个遍。

露的成因

物体表面要产生露水，表面的温度就必须降低，使周围空气的温度降到露点（空气中的水蒸气开始凝结成露的温度）以下。随着水蒸气的凝结，物体表面开始形成露珠，同时露珠表面的水分子也开始蒸发。最重要的是，只有蒸发速度比凝结速度快时，才能形成露珠。

露珠表面的水分子开始蒸发逃跑啦！

水分子

蒸发

石头

什么是沸腾作用

植物通过树叶表面将水分排到空气中。蒸腾作用就是被植物吸收的水分在树叶表面蒸发为水蒸气的现象。植物通过蒸腾作用来调节体温，并靠由蒸腾作用产生的吸引力使水分不断从根部上升。蒸腾作用受阳光和树叶所吸收的辐射能的影响。

夏天太阳底下的石头很烫，可树叶并不烫！这就是因为蒸腾作用！

啊哈！这和人出汗是一个道理！

沙漠里的植物

　　沙漠植物的适应性很强，即使在高温和干燥的气候下，也能在短期内用很少的水维持生长和繁殖。这些植物大都把根扎到地下很深，以寻找地下水；或是叶片很小，以防止水分蒸发。

枣椰
　　生长在沙地上，果实甜而营养丰富。

沙漠刺槐（沙槐）
　　为了找到水，它可以把根扎到地下 50 米深处。浑身有刺。

沙漠香瓜
　　属西瓜科，吃了会引起腹痛。

山毛榉
　　是现存植物中寿命最长的树。树液可作镇痛剂和防腐剂。

百里香
　　整株都有香气，晒干后香味更浓，即使加热香气也不会消失。

艾草
　　含有麻醉神经的成分，对妇科疾病有卓越的疗效。

第8章
星 座 旅 行

我是宝萝的北极星♥

呀，这么多星星。找找北极星吧?

沿北斗七星中 α 两星的连线向 β 星的方向数大约 5 倍的距离，就能找到北极星。

β

α

北斗七星

5倍!!

北极星

啊!太好了!

可是我怎么找也找不到北斗七星啊!

这种时候只要找到 W 字形状的仙后星座就行了。

在低纬度地区，时间一过，北斗七星就沉到地平线以下，看不见了。

在那儿，W 字！

仙后座在北斗七星的对面。从 W 字凹陷部分连线的交叉点向中心星星方向往前找四倍的距离，就是北极星。

闪 烁

那么那颗就是北极星了。喊，也不怎么亮啊。

它只是一颗二等星。

那边是正北，那么从这儿来说，山洞所在的石山就是东方了。

好，明天到山顶去观察一下东面。

扑楞

快点找吧。都已经第几天了……

79

要不是有我的粪，你们早就冻死了。

唉，真是令人担忧。不会那么容易就能走出去的……

唉，连半杯都不到。

好了，全体向山顶出发！

咦，东边还有座石山后面全是砾质沙漠了！

对了，我把这个挂在脖子上走吧。说不定就会有人发现我们呢！

咪

小镜子成了项链了！

真是宝贝呢！

在沙漠中，镜子的反光在 20 英里（约 32 公里）之外都能看到呢！

镜子　反光　20 英里

吭哧吭哧

嗬嗬，好渴啊。走了很远了吧！

再忍一会儿。马上就到了。

列奥，看那个！好大的沙槐树。

嗯，地上比我们待的地方湿气大多了。

先把行李放在这儿，到附近看看吧？

哇，又有岩石做屋顶，里面又宽敞，真是个好地方，就把这里作为总部吧？

这里好像是沙漠商队*的路线。这儿有骆驼粪。

哈哈，列奥眼里只有骆驼粪。

哈哈哈

叔叔，看那儿！那座沙丘下面有条很深的路！

真的！快去看看。

*沙漠商队：骑着骆驼或马结队穿过沙漠的商人群体。

啊哈，这不是路，而是旱谷*。那是只有下雨才会有水的河。

有咸味，土里含有盐分。只要下场雨……

吧嗒吧嗒

走，到里面去看看！

水只剩一点儿了。靠着露水井和蒸发袋是坚持不了多久的……

哎哟，好累！

嗯？乌云！

啊！

84　　*旱谷：见于干旱地带的没有水的河。

哼,光有乌云有什么用。得下雨才行啊!

不。沙漠里乌云并不常见,明天99%可能会下雨。

对啊,这是因为沙漠里下雨的偏倚度*很大,雨一下就会很大。

是这样吗?

还说不定下不下呢,得看好水袋……嗯?你在干吗?

咕

咕

不懂事的家伙。这下可真遭了!

这种人怎么让人信任他,嫁给他……

啊!既然马上就会下雨嘛!会有什么……

咚

咚

*偏倚度:数值或方向偏离一定基准的程度或大小。

找方向

求生存，最重要的是正确把握自己的位置。万一丢掉了地图或指南针，你该怎么办呢？为了应付这种情况，请你熟悉一下利用自然或其他物品来找方向的方法。

1. 利用星座

在高纬度地区，请利用北极星或仙后星座。在低纬度地区，南十字星指向南方。

2. 利用手表

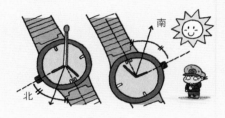

将手表的指针对准太阳。这时表盘上12点的界点和指针组成的角的平分线指向就是南方。

3. 利用地形或物品

爬上高高的石山或巨大的不易移动的沙丘，也可以确定位置。

4. 利用太阳

插一根杆子，上午和下午会出现两个长度相同的影子。将它们的顶点进行连结，就是东西方。

沙漠里的河——旱谷

旱谷是见于撒哈拉和阿拉伯的干旱地带的干涸河道（只有下雨时才临时有水），平时是干涸的峡谷，下倾盆大雨时就会变成河流。在沙漠里，如果降雨量比沙地能吸收的水还多，也会形成河道。旱谷虽然只是暂时性的河，但由于瞬间的水量很大，水流也会引起急剧的侵蚀、搬运、冲积作用。但是越往下游，水面就会越浅，在干燥地区甚至会很快消失。

沙漠中的旱谷

我就是旱谷!!

闪闪发光的镜子，很远也能看见

如果是万里无云的晴空，像远处的人发送信号的最好工具就是镜子。如果没有镜子，也可以用光亮的金属制品代替。如果把它挂在脖子上走动，它就会一直反射阳光，发送信号。但是发送信号时，如果反射阳光的时间过久，有可能会对飞行员的视力造成致命的伤害，这一点一定要注意。据说如果气候条件好的话，镜子的反光最远在32公里之外都能看到。

第 9 章
沙漠中的洪水

挖了好多个露水井，才弄到这么点水。

哇，有那么多啊？

YES!!

别高兴。这点水哪够一天喝的？

别担心。昨晚积起来的乌云马上就会下雨的。天这么闷，我的感觉一定不会错。

是吗？

快装水！

这些水可以坚持十天了。现在穿越沙漠也没问题了。咱们要回到金字塔那里去了！

啊？已经快停了。

那也已经下得很大了。

回营地好好计划一下吧！

你这家伙，快走啦！

嘿！我一次能喝100升呢，快放开我！

从这儿往东就是一望无际的沙质沙漠了。只要准备好了食物，咱们就往那边去。

这些天只吃了几小块面包。

砰 砰

咕噜噜

现在得打猎去了，先做些捕兽器吧！

嘿嘿，这个我是专家。

嘶 嘶

《无人岛探险记》

小子，这书我也读过。

可是捕鸟的特殊机关只有我才会做！

哎呀，是吗？

《丛林探险记》也很有意思！

人手一册的最畅销书《无人岛探险记》您一定要看看！

一下过雨，这沙漠里也会冒出很多动物来的。

小子，别喝了！水越充足越应该珍惜。

他拿着杯子干什么？

不对劲儿。这小子表情怪怪的。跟过去看看。

我也觉得。

啊……列奥，你疯了？

您不是说一滴水也不要浪费嘛！

真让人无话可说，哼！

啊！不能浪费！

叔叔！

沙漠里的雨

世界最大的沙漠撒哈拉极度干旱，年平均降水量只有 100 毫米，并且还在逐年减少。根据降水类型，撒哈拉可划分为冬季降雨型的北部地区、夏季有一定降雨量的南部地区，以及除了山区外一年四季都没有降雨的热带地区。虽然偶尔也会有可引起洪水或形成旱谷的大雨，但由于高温，总是很快就会干涸。

共同生存的沙漠生物

极少的水和过大的昼夜温差，随时可能吹来的沙暴，这就是沙漠里的自然条件，然而即使在这样贫瘠的沙漠里也有生命存在。植物在能找到少量水的绿洲或旱谷地带生长，它们又为草食性动物提供了食物。而草食动物又成为肉食动物的美味，所有动物的排泄物则作为蜣螂（圣甲虫）等昆虫的食物被分解，重新回到土壤。生物之间的这种取食关系系统地表现出来，就是食物链。

试试在沙漠中打猎吧

　　食物和水一样是生存的必要条件。虽然水果等植物也是很好的食物，但只靠这些很难获得足够的能量。只要利用几种工具，你就可以直接去打猎，捕捉含有丰富蛋白质和脂肪的动物了。

捕捉走兽：套索捕兽器

　　要捕捉地上跑动的动物，请利用套索捕兽器吧。只要动物一碰诱饵，对面悬着的石头就会坠下来，把绳套抽紧。

捕捉飞鸟：捕鸟器

　　把两根一端削尖的木棍架成"┐"形，在尖端放上诱饵和绳套，另一端拴上石头并保持平衡。鸟儿来吃诱饵时，就会由于石头的下坠而被套住。

捕捉洞里的动物：缠笼

　　沙漠里的动物由于高温，白天主要在洞内生活。这些动物可以用多刺的树枝制成签子来捕捉。只要这些动物的毛被缠在刺上，就能很容易从洞中把它们拖出来。

我们是沙漠猎人！

第 10 章
水袋的秘密

這就是"錘"！

叔叔，这是什么印儿啊？

嗯，这个……竟然还有你这见多识广的叔叔都不知道的东西！

嘻……

现在总算承认自己的无知了。

这是一种叫"蜣螂"的昆虫的痕迹！

呀，你这家伙都有两次生存体验了，连这都不知道？

……

它能不能吃啊?

大部分昆虫都能吃,去看看。

嘭嘭嘭

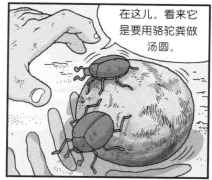

在这儿。看来它是要用骆驼粪做汤圆。

一次两只!第一次打猎大获丰收!

好恶心啊,这怎么吃啊?

干吗抓吃屎的昆虫啊!

呀

沙漠就是沙的海洋、我们就像在大海中间的无人岛上一样。想活命的话就得吃。

呵!

好吧,这次来抓鸟吧!

咚!

嘿嘿,抓鸟的话这个最好!

啊哈，那个方法抓小鸟时才管用，看看我的方法。

把拴着石头的绳子从木棍上的洞里穿过来，

噌

再把另一根木棍插进洞里

打个结，撑住石头的重量，

绳结↓

插上做诱饵的面包就完成了。

面包

鸟没法站在木棍的尖头上，只能站在有绳套的地方，最后被套住。

哈哈哈

要不要试一下呢?

可是叔叔，咱们走得太远了吧？

哪里，鸟儿眼尖得很，在偏僻的地方抓比帐篷附近要好。

叔叔，在那边树阴里歇会儿再走吧！

呼哧呼哧

好吧，宝萝。你也跟我一样出了很多汗啊。

列奥，你不热吗？怎么一点儿汗也没出？

咻……

是因为这水袋很凉快吧？

你想耍我啊？整天在大太阳底下背来背去的水袋还能有什么凉快？

都快热死了，你还要惹人烦？

咚

101

噌!

哈哈哈哈

这就是所谓"缠笼"!

你……你干吗?

噗

等一下,好像扎到什么东西了。

这时不要错过机会,要很快地旋转木棍。

嗖嗖嗖

太棒了!列奥!!

缠住了!

嗖

咦?好奇怪的东西。

哇!

扑腾扑腾

吱吱

嘿嘿，毛被缠在刺上了，还想逃？

可是那东西怎么吃啊？

没关系。可以把它当作捉大鸟的诱饵。

鸣呜

怎么样，叔叔？现在您知道我的本事了吧？

"嗖嗖"乱舞……

呀！这次好像缠住了一只飞着的鸟耶。那么……

用力一扯！

痛死了！

痛死了！

呼

这……这个兔崽子……

水袋的秘密——汽化热

　　煮面吃的时候，请你留意一下水。水咕嘟咕嘟沸腾时，开始有水汽冒出来了吧？这种液体沸腾变成水蒸气的现象叫做汽化，汽化需要的能量叫做汽化热。液体变为气体时，需要有把紧紧附着的原子或分子扯开来的力量，所以在烧开水时要用火来供热。如果水得不到足够的能量供应，就会吸取周围的热量来进

行汽化，导致周围温度降低。列奥正是在水变为水蒸气的过程中，被水吸走了身上的热量用作汽化热。现在谜团解开了吧？

生活中可以感受到的汽化热

　　炎热的夏天，出了汗就会凉快多了吧？这也是汽化热的原理。汗水在蒸发时带走了身体的热量，因此可以维持恒定的体温。生活中常见的汽化热的例子还有很多，抹酒精消毒时感到凉飕飕的，也是因为酒精变成气体时带走了周围的热量。这也是汽化热现象。

沙漠清洁工——蜣螂

在有骆驼粪的地方，可以看到一种正在勤奋地滚粪球的黑色昆虫。它们的名字是蜣螂，也叫圣甲虫、粪金龟。对于蜣螂来说，骆驼粪是最要的食物，也是产卵和孵化幼虫的重要空间。因此，蜣螂们会将骆驼经过时散落的骆驼粪清扫得干干净净。"沙漠清洁工"这一绰号也是因此而来。

蜣螂在全世界共有 7000 余种，分布在除南极外的世界各地。蜣螂非常勤劳，50 次就能滚出相当于自己体重的粪球。有趣的是，古埃及人认为蜣螂是非常神圣的东西。他们认为蜣螂推动粪球穿越沙漠，就像太阳神推动太阳穿越天空，认为蜣螂是太阳的使者。因此，在护身符、文字，以及古埃及壁画中，常常可以看到蜣螂的影子。

有美食了！

第 11 章
找食盐

这法子该管用吧?

嗖嗖嗖

嗖

叔叔!

砰!

在叔叔嘴里的骨头 → 叔叔嘴里的骨头

盐……我怎么把盐给忘了。要走远路就一定得有盐,可是咱们的盐都已经吃光了。

这怎么办!

我在家时不吃盐不也活得很好吗。

蠢东西,那是因为食物里已经有盐了!

叔叔!你流鼻血了!

这个……叔叔!我听说非洲的土里也含有盐。

哦!对了。沙漠商队事实上也是指的做食盐生意的商人。

对了!

嘿嘿，带回去向他们炫耀一下。

等一下。俗话说，只有吃饱肚，才能上得路。

嗝！

好饱！

突突突

什么东西，扰人美梦。

嗝——
该回去了吧？

叔叔，看这个！

这么馋人的东西我硬忍着没吃带了回来，忍得好辛苦呢！

厚脸皮的列鲁

那好像是沙漠香瓜？

列奥，这个不能吃。

咒！

呵呵！

白辛苦了。不过就算吃了也只是会肚子痛，不会致命的。

不管怎么样，还好谁都没吃。

糟……糟了。我吃了两个呢！

傻了。

来，给骆驼吃吧！

嚼

现在才知道该对我好了。

啊！看来这骆驼是属狗的！

噢！

列奥，怎么啦？

哎哟，肚子，肚子好疼

嗯？这小子难道……

满地打滚……

沙漠中如何获取食盐

很久以前，非洲的部分地区曾是大海。虽然后来由于剧烈的地壳运动，海水渐渐消失，变成了陆地，但海水里的盐分仍然留了下来。所以，在这些地区挖个坑放入水，土中的盐就会溶化，得到盐水。再使水在阳光下蒸发，坑底就会留下一些盐结晶，把这些盐压缩成为圆锥形状就可以出卖。这叫做岩盐，过去这种岩盐曾是可以交换黄金的重要交易品。

盐为什么会在旱谷中

过去曾是大海的沙漠地层中含有大量的盐分，下雨时，地层中的盐就溶解到雨水中，随着水流的移动，一直流到旱谷的下游。当雨水由于阳光和干旱的气候而蒸发时，水中溶解的盐分就会变成结晶，露出本来面目。

沙漠里的商人——沙漠商队

商队是指成群结队的商人或旅客。商队最初是人们在穿越非洲的贸易通道或以中国为中心的丝绸之路进行贸易时，为了在各种各样的危险中互相保护而组成的集团。他们驮着大量行李财物穿过非洲，骆驼是主要的运输手段。但由于公路和铁路等交通手段的发展，一度兴旺的商队活动从 19 世纪开始衰退下来。现在，商队只有在非洲南北之间的食盐贸易中和伊斯兰教徒朝圣时才能看到。

商队的规模通常为 5~10 只骆驼，也有时会多达 50 只以上。

在撒哈拉沙漠中，商队主要由图阿雷格人经营。由南非通往埃及的通商路线也是他们开拓的。图阿雷格人至今还在为食盐贸易和旅客担任向导。

盐商

我靠给盐商或沙漠旅客做向导谋生。

图阿雷格人

第12章
沙漠盗贼

谁先吃了就是谁的!

好不好嘛,叔叔。这个是体验沙漠之夜的好机会,对吧?

再说行李也都收拾好了,没什么事要做了。

嗯……

哇

好吧!本来我们的旅行目的就是体验沙漠!

哇

哇

先用原来准备好的鸟油做个火把吧！

沙漠里虽然环境恶劣，可动物还是比咱们想象的要多，得小心点。

还是你自己小心吧！

看好家哦！

啊，沙子里有东西在动！

好像是被称为"沙漠之鱼"的蜥蜴。它在沙子里钻得很快，所以得了这么个外号。

那这又是什么？

我摸摸看。

当心！
那是沙漠蛇！

哎哟——差点出事。这么冷的天，动物还真多啊！

叔叔，听说沙漠里还有耳朵很大的狐狸？

对，叫大耳狐。

嘿！他怎么知道我的名字！

不管怎样，今天不吃我的主食"飞鼠"了，换换口味吃烤鸟……

一口叼起

嘿，看那儿！今夜北斗七星好清楚啊。

正确的名字叫"大熊星座"。

孩子们，太冷了。回去吧！

咦，火堆灭了。

哎呀！这……

什么！鸟肉……鸟肉被偷走了。分明是大耳狐干的。

狐狸？一定跟你长得很像。

119

噢……

啊

砰砰砰

什么，你们看看我的肚子。光喝水怎么坚持啊？

啊！可怕的口水。在亚马逊就领教过了。

吃刺的鸟肉→

叔叔，咱们只需要走一两天，这些也足够了。

是啊，就算光喝水也能坚持两天。

哎哟 哎哟

列奥，你！叫你值班看火，就把火看灭了！所以狐狸才敢大摇大摆地进来！

你干吗了？

放开它！它老吃不饱，早累得精疲力竭了。

嘻嘻嘻

哟，睡吧。

我是沙漠盗贼！

没落下什么东西吧？骆驼身体不好，宝萝一个人骑吧！

现在向金字塔所在的东方出发！

叔叔！验证一下方向再走怎么样？

白天又没有北极星，怎么验证？

太阳一直在动，方向的确难找。

嘻！不过我有在科学课上学来的秘笈。

用力一插

先在影子末端做个标记。

小石子 →

大概要等十五分钟。

1秒，2秒，3秒，4秒……

哎哟！烦死了！

再在后来的影子上也做上标记。

第一块石子

左脚踩第一块石子，右脚踩第二块，我面向的方向就是北方！

那，那块石头就是东了？好吧，大家加把劲！

哇！好大的沙丘！

哎呀，真是比泰山还高！！

嘻嘻！就让我先来征服它吧！

呀，这小子真快。

哈哈哈……

呀！列奥忽然不见了！咱们也快点吧！

嗵！

哎哟，好费劲。可是列奥哪儿去了？

吭哧吭哧……

看你这副德行！

哼，早知道会这样。新月形沙丘*一面是缓坡，另一面则是陡坡。你不知道吧，浑小子！

这家伙真让人没办法！

救救我！！救救我！

*新月形沙丘：沙丘平面为半月形或马蹄形。

撒哈拉沙漠的动物们

即使在沙漠这样恶劣的环境里，也有很多动物生存。沙漠里的动物由于要适应气温变化，体温的变化比其他地区的动物都要大。并且，为了躲避阳光，它们的体形大小都很适于藏在沙丘或岩石底下，主要在夜间活动。

沙漠中的哺乳动物

大耳狐
通过大耳朵调节体温和寻找远处的食物。夜间活动。

瞪羚
羚羊的一种，有长而弯的角，草食动物。

沙漠刺猬
在炎热的夏季会进入休眠。

沙猫
腿上的长毛帮助它维持体温和在沙中自由行走。

条纹鬣狗
毛色和花纹随着年龄而变化。

沙漠猞猁
生活在热带稀树草原地区。也叫卡拉卡尔，是土耳其语，黑耳朵之意。

沙漠中的鸟类

沙漠中的鸟类具有两大优势：一是视野没有障碍，可以在宽阔的范围内觅食；二是体内热量都在飞行时消耗掉，很容易维持体温。

沙漠雕
是雕中体形最小的一类。捕食狐狸、蛇等。

金雕
一种大型鹫，长成后头上会出现金色羽毛。

大鸨
能够从食物中获取新陈代谢所需的水分。

沙漠中的爬行动物

沙漠中的爬行类与其他动物不同，多在白天活动。这是因为爬行动物是冷血动物，可以耐高温。

沙漠腹蛇
特征是头呈 V 字形，头上有角。为躲避沙漠中的热气，通常在沙中活动，有剧毒。

沙漠大蜥蜴
最古老的动物之一。调节体温能力超群，能在瞬间把升高的体温恢复原状。

第**13**章
走进风暴

啊！我想回家！哎哟！！

太好了，求你快走吧！走吧！

一到下午，又开始吹热风了。

呼呼呼……

都掩紧口鼻！

我的睫毛又长又密，一点儿也不用担心。

去那儿躲会儿风好不好，叔叔？

叔叔，这块石头样子真奇怪！

风刮起来的沙子飞不高，只剥蚀掉岩石下面的部分，就成了这样。

咻——看不清前面！

只要不变成沙暴就好了。

呼呼呼

唉，沙漠跟无人岛和亚马逊都不一样，没一个可以放心待着的地方。

只要你不再闯祸，我就能放心了！

叔叔！风停了，你看那边有东西！

哦，
是绿洲！

久违的树林啊！

说不定是《阿里巴巴和四十大盗》里面的大盗们的总部呢！

喂，你这小子！你还以为你是什么特工队吗？

嗨!

只是一片地下水干涸后被放弃的绿洲。

啊?!

啧啧，你算是玩饱耍足了。

哼！难道不是吗？沙漠里哪有这样的树林？

...真失望!

对！这沙子还很潮湿呢!

用力一挖

来，都坐在背阴的地方，把脚埋到沙子里。这是节省体内水分的沙漠行动要领。

嗯？风都停了，这是什么声音呢？

刷刷

我是沙漠男子汉

那……那是什么？

是鸟吗？

刷 刷 刷 刷 刷

都飞到树林里去了。

像是什么昆虫……呀！也许是……

蝗群！

太好了！去抓蚂蚱吃喽！

趁这个机会，是不是该跟这些毫无指望的人分道扬镳了？

这小东西！

刚被偷了食物，没想到还能有这种飞来的横财。去掉翅膀和腿就可以烤着吃了。

咦？它们怎么突然又……

怎么？都向咱们要去的东面飞去了。

对了，它们一定是要去尼罗河，那边食物多。

哎呦……连蚂蚱都吃不到……

沙漠中的水井

沙漠中的水井几乎都是地下水。在沙漠中，只有挖得很深，才能得到地下水。挖井是件很艰辛的事，有时甚至要挖到 1500 米以下才能有水，但是一旦水井干涸，就只能抛弃。

在韩国，一般只要挖到地下30米～100米左右，就能得到地下水！

沙漠中的水道

在严重干旱的沙漠中，人们自古就从山麓等地下水丰富的地方开挖地下水道，把水引到很远的地方。这些水道叫做"坎儿井（kanat）"，撒哈拉沙漠中称之为"伏加拉（foggara）"。坎儿井每隔一段就挖出水眼，再从地下打通水眼间的通道，使水道加长。这样可以防止珍贵的水因地上强烈的阳光而蒸发。

撒哈拉中把这种水道叫做伏加拉！

伏加拉的断面图从井里可以看到水道。

大风造成的沙漠地形

由于随风飞卷的沙尘，岩石和地面常常会被削蚀变形。这叫风蚀作用。

三棱石
这种石头由于大风卷起的沙石侵蚀，有 2~3 个平坦的面和棱。它是由于风蚀作用而形成的，因此又叫风棱石。

绿洲
绿洲中有的地方由于风蚀作用，沙和岩石被挖开，地下水露出表面，成为泉水。

蘑菇石
由于重量的缘故，沙子只能在地面附近随风移动，因此只能削蚀岩石的下半部。蘑菇石又称"托石"。

风的牙齿——沙漠蝗虫

沙漠蝗虫在随着季风迁移的蝗群中最为恶名昭著。它们随着风一起出现，所经之处粒谷不剩，因此得到了"风的牙齿"的外号。10~100 亿只的蝗群每天可以移动 30 公里~40 公里，最高可达 100 公里。蝗群迁移的原因是为了确保食物和繁殖后代。

第14章
寻找绿洲

这里就是天堂！

唉，这太阳真是晒死人啊！

一个趔趄

啊！

啊……什么！骆驼终于坚持不住了！

扑通

呜呜呜，骆驼，睁开眼啊！

嗯，看这些骨头！恐怕咱们真的进入死亡沙漠了！

喔，好恶心啊！

这小子真不长进。

呐

嗖

砰！

咦，这块碎骨头用来做钓鱼钩应该不错！

连骆驼这"沙漠之舟"都死了，可叔叔好像一点也不担心。难道我们还真能活着出去？

嚼嚼

哟，叔叔！现在还有闲情钓鱼啊？还是在这大沙漠里！

别那么担心！过了那个大沙丘，说不定就能找到绿洲呢！不然这里怎么会死了这么多骆驼……

这里一定是通往绿洲的必经之路。

只要找到绿洲，就可以用这个钓鱼了！

绿洲里的鱼一般都很小，所以要用这样的小钓钩。

A.
捆住
← 利用动物的碎骨头

B.
← 用鸟的胸骨

C.
← 利用沙漠植物的刺

A 是用绳把尖利的碎骨头捆在一起而成的。

呼哧 呼哧

都快累死了，还讲什么钓鱼经？

对了，得用树枝做根钓竿。

喀嚓！

噗

趁空再悠闲地做个沙疗，呼噜噜……

哼！都不来帮我，帮一下就会累死吗!?

呼哧 呼哧

嗬！真钓起鱼来了！

水坑还不小呢，就像孩子们的游泳池一样！

噔

沙漠中的奇迹绿洲

绿洲（oasis）指干旱地区中的容易得到水的土地。在沙漠地带，有些较大的绿洲水源丰富，有很多发展为城市。绿洲的种类有泉水绿洲、河水绿洲、山麓绿洲、人工绿洲和见于寒带地区的温泉绿洲等。

绿洲的种类

啊……绿洲！

泉水绿洲

是撒哈拉沙漠中的城市和绿洲的代表形态，是由沙漠中的低洼地带涌出的水不断积聚而形成的。由于水源丰足，这种绿洲很多都发展为城市，也是旅客和商人们休息的好地方。

河水绿洲

多雨地区形成的河流流经沙漠时，两岸地带就形成绿洲。最具代表性的是由维多利亚湖起源的尼罗河绿洲。

山麓绿洲

由山上的暴雨形成的河流流经内陆平原的沙漠时，可以形成大面积的山麓绿洲。特别是传说中曾存在于塔克马拉干沙漠中塔里木盆地附近的城市楼兰，是最具有代表性的山麓绿洲。

人工绿洲

雨水常常渗入砂岩或石灰岩里面，打通由这些岩石构成的井（地下水由于压力而自动涌出地表形成的泉），把水引出来，就造成人工绿洲。著名的人工绿洲有澳洲的大钻井盆地。

温泉绿洲

指寒带的冻土地带中涌出的温泉。也叫热绿洲。

第15章
向飞机呼救

叔叔，在这绿洲里已经又过了两天了。要是明天还没有人路过怎么办？

……

而且现在连可以当柴烧的东西也没了。

这个不用担心！你来扛。

呼

咚

啊！我的腰！

唉——，就凭吃了几只小蚂蚱的力气！

叔叔，太过分了吧！

这你就不懂了！越是力气不足越应该干重活，这样才能培养坚韧不拔的意志。

列奥！根据方位测定法，这边才是东。

咯吱咯吱！

好，让我们朝气蓬勃地向"马西里格"出发！

哼！站着说话不腰疼！

吭哧

啧啧咕咕

列奥，"马西里格"就是太阳升起的方向。太阳落山的方向是"马格利姆"。

这是什么发音？舌头要抽筋了。

是啊！飞机！

列奥！

蠢东西，你没看到飞机上有 SAR 字样？是搜索救援队！

哼！没什么好高兴的。在无人岛、亚马逊都见到了飞机，也没管什么用。

你不高兴吗？

哼！

快跟我做！这是请求降落的身体信号。

嗖……咦，怎么飞走了？

可能没看到我们。飞机还会回来的。宝萝，把镜子给我。

在这儿。

首先伸出左手、伸直食指和中指……

151

右手对着太阳举起镜子，调好角度，使镜子的反光照在左手上。

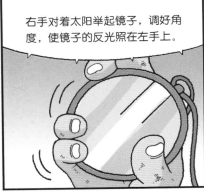

就是现在！

然后就等着飞机飞进两个手指中间。

这样上下晃动镜子，飞行员就会看到镜子的反光。

叔……叔叔！真的回来了！

不，还不能确定。而且这里在绿洲附近，说不定会以为我们是旅客呢！

啊！糟了！"救救我"的身体信号是什么？一下子想不起来了！

飞机已经到头顶了！快想啊！

叔叔！

啊，终于想起来了！是把两臂举起来，与肩同宽。来，一起做！

嗨～！！

列奥，别那样做！

啊！

死定了！那个信号是"我们没事"的意思！

这……怎么办……怎么能这样！

呜——飞走了！

嘻——！我是示范人员！

请看我示范！

我们没事！

救救我！

请在这儿降落！

呼救信号（1）：身体信号

你曾经在沙漠中迷过路吗？那么首先应该做的就是告知别人你现在的位置。告知位置的呼救信号在《无人岛探险记》中已经学过，可以利用火、烟、声音来发送。如果救援队由此找到了你的位置，接着就该发送信号告知对方你现在处于何种情况。这一次我们来学习向 SAR（搜索救援队）发送信息的动作。

1. 身体信号的种类

我是示范人员。又见面了，幸会幸会！

飞机正在向你飞来。可是你再怎么大喊"救救我！"飞机驾驶员也听不到。这种时候就要用动作代替，这叫作身体信号（body signal）。这些动作是国际通用信号，请大家准确记住。

请派医生来。

请送给我通信设备。

我需要机械或配件。

我可以接收信号

2. 身体信号的种类

来来，这些也学一学吧！

我可以等。

请拉我上去。

明白了。

请在这里降落。

不行。

请不要在这里降落。

没有异常。

那么就学到这儿吧，嘻！

等一下！什么是 SAR

　　SAR 是 earch and Rescue 的缩略语，是"搜索救援队"的意思，主要在山区、洞窟、海洋等地区进行救助伤者、寻找失踪者等活动。

第16章
最后的呼救信号

已经走了三个多小时了，还是什么都看不见。

呼味 呼味

呼味 呼味

列奥，我……我再也走不动了！

扑通

不行！

噌！

噌

宝萝，一定要加油！咱们有的是水！

那能有用吗？

呀！水是咱们的命根子！你搞什么鬼！

咦？还真有效。

孩子们，别闹了，看！骆驼粪！

正是咱们要去的方向。跟着它走，一定会有什么发现的。

宝萝，加油！

呀！又是绿洲！

不，只是一小片刺槐树林。

在树阴里歇会儿吧，顺便再想想办法。

一定是弄错了。都走了大半天了，连个金字塔尖儿都看不见。

那么还有一个办法！

从骆驼粪看来，这显然是一条贸易通道。那就一定会有商队经过的，咱们等等看吧！

能信他吗？

不信白不信！

这样就得有一间结实的屋子，能熬过夜里零度以下的严寒。

那还不如就在绿洲待着呢！

那儿既没有柴，也没有这种盖房子的木头啊！

158

这里不错。

把木头捆成三角形固定，然后用石块压实。

嗨

嗵

先挖固定木头的坑……

然后再加几根柱子，再从旁边转着捆两圈，屋顶骨架就做好了。

啊哈！

最后再用带很多树叶的刺槐枝盖上就行了吧？

嗯！不过不能像在亚马逊一样，得盖得密密实实的，才能抵挡寒气。

160

"地面标识"如下：

I：受伤严重，需要医生救助。

II：需要药品。

X：山穷水尽（紧急呼救信号）。

F：请给我食物和水！

LL：一切正常。

这些都是像天上的飞机发送的视觉信号。

呵，那么马上做个X字吧。

哈哈，你真是拾粪大王！天生的本领。

哎哟，太伤自尊了……

你过来！

去哪儿！

啊，对了，还有那个！

把这镜子挂到那棵枯死的刺槐树尖儿上。

嗗

那可是我们最后的呼救信号了！

镜子的反光在 20 英里外都能看见，会有人猜到是呼救信号的。

嘿嘿！那么现在没事了吧，叔叔？

是啊，现在剩下的就是尽可能的节约体能等着了。

呼救信号（2）：地面标识

　　睡觉或救援队离得很远时，身体信号就没用了。这时请在地面上表示对空文字，或者叫地面标识（Ground-to-Air Emergency Code）。通过它，你可以用简单的文字向飞机驾驶员通告你的情况。

1. 字形和含义

II　请给我药品。　　　　　　✕　再也走不动了。

一　请派医生来。　　　　　　I>　请救我上飞机。

F　请给我食物和水　　　　　→　我要去这个方向了。

III　需要衣服。　　　　　　　K　请告诉我该往哪儿走。

L　需要燃料。　　　　　　　✳　请勿在此降落。

口　需要指南针和地图。　　　◀　请在这儿朝这个方向降落。

》　需要武器和弹药。　　　　Y　明白了。

W　请派技术人员来　　　　　N　不行

－－　需要信号灯。　　　　　JL　一切正常。

└┐　飞机躲避好了吗?　　　　LL　不知道。

2. 画地面标识的注意事项

　　地面标识可以用树枝、衣服、石头等来做，但是要醒目，所以请一定要用与地面颜色不同的东西来表示！

第17章
归来

万岁!

遇险第15天。

现在我见了蚂蚱就反胃。您知道已经连续吃了几天了吗?

真是吃饱了撑的!多亏这片树林,有蚂蚱吃就该谢天谢地了!

嗖

嚼嚼咕 嚼咕

知道了!

嘎吱

难吃也得吃,这样才能活命啊!

叔叔,我们得在这儿待到什么时候啊?现在水也快没了。

再等一天吧。现在再往前走太危险了。

喉

别这样，到沙丘那边去看看吧，叔叔。

啊哈，不用担心！有问题的话再回到先前的绿洲去不就行了。

那边不是西边嘛。您说要往东边。

人嘛，有时候也要放弃原则。

嗤，不是坚持原则了？

闪闪闪闪

呀呵呀呵

嘘！安静！那边有声音！

冬

呀呵——
啊啦啦啦——

呀嗬！

分明是人发出的声音！

他们骑的是马，看来不是商队，难道是强盗？

不是，小子！是撒哈拉的游牧民族图阿雷格人。

哇，看！那么大的骆驼队。

图阿雷格人本来就是有名的商队向导。

168

孩子们，别紧张。这是欢迎的意思。

啊啦啦啦啦……

得得得得……

孩子们，终……终于得救了！

我们得救了！哈哈哈！

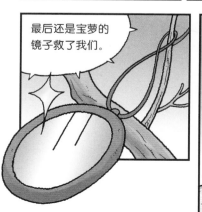

最后还是宝萝的镜子救了我们。

啊啦……啊啦……啊啦，啊啦……

他在叫我们乘骆驼。

走了！

哪里！

啊

咦？这不是我刚说的沙丘吗？

要是刚才往这边走，你知道会碰到什么事？

哎呀！

什……什么！
那不是金字塔吗！

这……明明近在咫尺……

沙漠战士图阿雷格

正在泡茶的图阿雷格人

在广阔的撒哈拉沙漠中穿行，被称作"无畏战士"的图阿雷格人。过去他们的重要经济活动是由撒哈拉南端到北非之间的贸易，如今由于交通发达、大部分都转而从事畜牧业。

图阿雷格族是保守的阶级社会，分为贵族、圣职人员、工匠、仆人等。同时女性地位很高，是以母亲为中心组建家庭的母系氏族社会。图阿雷格人的特征是男人戴面纱，而女人不戴。男人在女性、异乡人、朋友面前都要戴着面纱，一方面是社会习惯，另一方面也是为了在沙漠的风沙中保护面部。语言为柏柏尔语，宗教为伊斯兰教。撒哈拉沙漠中除图阿雷格人外，还有阿拉伯的柏柏尔人、摩尔人等，以绿洲为中心，从事游牧和农业。

快 喝!

图阿雷格式的茶有一点特别之处，就是要连喝三杯他们才认你作朋友。哎哟!

沙漠正在扩展

　　以全球最大的沙漠著称于世的撒哈拉很早以前也曾是碧绿的原野。然而，随着岁月的流逝，它最终变成了现在这幅模样：黄沙、岩石、沙砾。更为严重的是，今天，不仅是撒哈拉，其他许多地区也正在逐渐变成沙漠。

正在逐渐变成沙漠的草原

沙漠化是如何开始的

　　地球开始迅速沙漠化的最大原因是人对自然的破坏，失去家园的非洲人民只能在沙漠的绿洲中生活。他们的人口和家畜数量一增长，便开始开垦土地。由于开垦过度，以绿洲为中心的草原便逐渐消失了。

沙漠化是可以抑制的吗

　　已经沙漠化的地区无法再回到原来的状态，但是正在进行的沙漠化是可以抑制的。现在，世界各国都在积极探讨并实施建设绿地、保护现有防护林、保持水土等措施。但最重要的是，世界各国都要认识到沙漠化问题的严重性。各位小朋友也应该都来关心环境问题，为保护绿色大自然而努力。

图书在版编目（CIP）数据

撒哈拉沙漠求生记 /（韩）崔德熙著 ;（韩）姜境孝绘 ; 骆敬敏译 .
-- 南昌：二十一世纪出版社，2013.5 （2017.3 重印）
（我的第一本科学漫画书 . 绝境生存系列：普及版）
ISBN 978-7-5391-8834-8

Ⅰ . ①撒… Ⅱ . ①崔… ②姜… ③骆… Ⅲ . ①撒哈拉沙漠 – 探险 – 少儿读物
Ⅳ . ① N84–49

中国版本图书馆 CIP 数据核字 (2013) 第 093465 号

我的第一本科学漫画书　普及版
绝境生存系列·撒哈拉沙漠求生记　　［韩］崔德熙 / 文　［韩］姜境孝 / 图　骆敬敏 / 译　张光军 / 审定

策划统筹	郑国华　黄　震
责任编辑	凌　云　黄　震
出版发行	二十一世纪出版社
	（江西省南昌市子安路 75 号　330009）
	www.21cccc.com　cc21@163.net
出 版 人	张秋林
承　　印	南昌印刷十二厂有限公司
开　　本	889mm × 1340mm　1/32
印　　张	5.5
版　　次	2013 年 6 月第 1 版
印　　次	2017 年 3 月第 8 次印刷
书　　号	ISBN 978-7-5391-8834-8
定　　价	19.80 元

赣版权登字 -04-2013-342　　　　版权所有·侵权必究
（凡购本社图书，如有缺页、倒页、脱页，由发行公司负责退换。服务热线：0791-86512056）